衝啊！洗澡囉！

阿光小芸日常的哦哩呱啦 ❶

耶！可以玩
泡泡澡了！

一定要洗澡嗎？

我不想要洗頭。

我不要現在洗！

再等我十分鐘。

我怕泡泡
用到眼睛。

3

一定要脫衣服嗎？

我要穿衣服洗澡。

我要再等十分鐘…

我被衣服勾住了…

我最會脫衣服了！

我來了。

妳很好奇阿光尿尿，
但阿光不喜歡喔！
當別人不喜歡的時候，
就要請妳停下來。

你不喜歡小芸
看你尿尿。

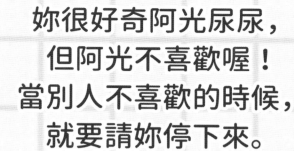

妳想跟阿光
一樣？

站著尿會
濕雙腿喔！

沒關係, 反正
等一下要洗澡啦！

好噁心喔。

選我！

我要兔兔的那件！

荷光幼兒性教育繪本／阿光小芸日常的嘰哩呱啦❶

衝啊！洗澡囉！

總策畫：呂嘉惠
　　作者：王嘉琪、陳姿曄、楊舒聿（依筆劃順序排列）
　　繪圖：享畫有限公司
美術編輯：邵信成
文字編輯：林沛辰、陳美如

　發行人：呂嘉惠
　出版者：荷光性諮商專業訓練中心
　　電話：02-2918-1060
　　地址：新北市新店區中華路60巷2弄3號3樓
荷光官網：http://www.beone.tw/
出版日期：2022年2月／初版二刷／2000套
　　印刷：上海印刷廠股份有限公司／02-22697921~3
　　ISBN：978-986-99512-1-0（精裝）
　　定價：390元（全套定價：1950元）

Printed in Taiwan